D1255165

100
Recettes
d'Antan

Collection: La cuisine facile

Dans la même collection:
— Cuisinez c'est facile avec le chef Pol MARTIN.

Dépôt légal: 2e trimestre 1979
Bibliothèque Nationale du Québec
Bibliothèque Nationale du Canada
ISBN 2-89074-008-0

Cercle de fermières

100 Recettes d'Antan

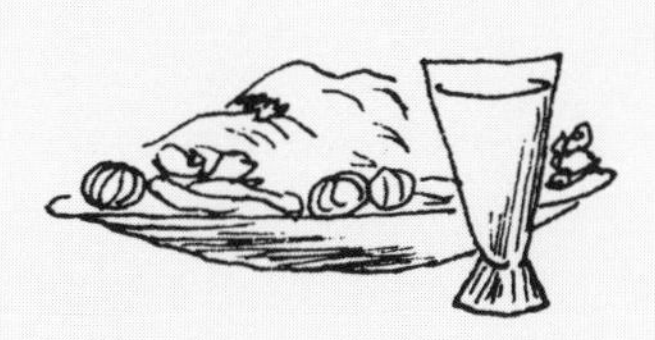

Cowansville 1876
1976

Editions de Mortagne

Entre Cordons-Bleus

En servant une bonne table, les maîtresses de maison de chez-nous continuent la vieille tradition qui, au pays, date au moins des "Anciens Canadiens".

Le pain est l'aliment sans rival et le pain de ménage possède sa saveur unique.

Les soupes et les potages créent l'humeur de l'estomac.

Les entrées: c'est à ce moment-là que la cuisinière montre ses qualités de cordon-bleu.

Les poissons autrefois servis que le vendredi, reprennent leur place et ils méritent que nous nous occupions d'eux.

Les plats de résistance, dans les temps héroïques, alimentaient gaiement une famille de dix enfants.

Que dire des sauces et des salades sinon qu'elles apportent de la variété.

Les gâteaux et tartes comme bons desserts sont au repas ce que le bouquet est à la fête.

Marinades et gelées sont couronnées d'une auréole de romantisme selon la méthode qu'utilisaient nos grands-mères.

Les fines sucreries, heureux complément, donnent une note d'élégance par leur arôme.

Et pour terminer j'ai un vin exquis et je le sers à mes convives afin de réjouir leur coeur.

Même si la transformation de nos modes de vie a modifié la façon avec laquelle nos grands-mères maniaient ingrédients et casseroles, l'art de bien manger constitue l'une des précieuses traditions de notre culture.

Nous éprouvons donc un sentiment de fierté en vous présentant cette modeste collection.

Ce livre de recettes est quelque peu destiné à nos filles. Le choix a été fait judicieusement afin de les rendre sensibles "au miracle poétique" de la cuisine d'autrefois.

Vos amies ou amis qui aiment cuisiner seront heureux de recevoir un exemplaire de ce recueil de recettes auquel nous ajoutons celle-ci :

Une demi-tasse d'amitié
Une tasse d'attention
Crèmer ensemble avec une pincée de tendresse
Battre lentement dans un bol de loyauté ;
bien sûr, ne pas oublier une cuillerée à thé de
gaieté et un brin d'habileté.

CERCLE DE FERMIERES DE COWANSVILLE

Constance Richard, Présidente (1976)

Monique Champoux
Claire Barsalou
Lutgarde Bell
Georgette Bourgeois
Anna Boutin
Diana Dubois
Berthe Déragon
Thérèse Doucet
Ida Daniel
Cécile Ducharme
Cécile Deslandes
Eliane Gingues
Bernadette Gendreau
Léona Galipeau
Réjane Gendron
Jeannette Jolicoeur
Claire Hains
Rose Labrie
Yvonne Larose
Liliane Laliberté
Yvonne Lagüe
Madeleine Levesque
Juliette Monast
Blanche Massé
Marie Thérèse Miclette
Marie N. Néron
Francoise Poitras
Yvette Pomerleau
Rita Noiseux
Rollande Racine
Annette Raymond
Jeannine Rondeau
Rose Viens
Alice Waltz
Simone Guénette
Thérèse Doucet
Hermance Racine
Yvette Tardif
Claire Raymond
Marcelle Grenier
Irène Caouette
Nicole Dubois
Cécile Levert
Jeanne Chouinard

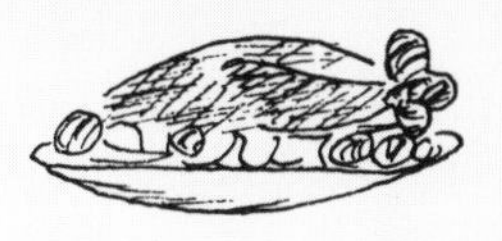

Contenu

Pain blanc (4 pains 1/2 lb)

- 2 enveloppes de levure sèche
- 4 tasses de liquide (eau lait ou eau de patates)
- 3 c. à soupe de sucre blanc
- 4 c. à thé de sel
- 3 c. à S. de graisse fondue
- 12 tasses de farine à tout usage

Méthode à suivre pour tous les pains: amenez le liquide à ébullition, laissez tiédir. Dissoudre la levure, le sel, le sucre dans 1/2 tasse du liquide tiède. Faites dissoudre la levure restante (1 env.) dans le reste du liquide. Ajoutez au 1er mélange; puis 3 t. de farine. Battez bien. Mettez le reste de la farine pour faire une pâte qui n'adhère pas au bol, qui se manipule. Versez sur une planche enfarinée, pétrissez 10 mtes. La pâte doit être lisse et élastique. Placez dans un bol graissé; Couvrez et laissez reposer au chaud, à l'abri des courants d'air. Doublez de volume 1 1/2 hr. Frappez la pâte à coups de poings, repliez les bords et retournez le côté lisse sur le dessus. Laissez la pâte lever 1 hr. Partage: - Retournez et pétrissez 3 mtes divisez en morceaux. Remplir les moules à moitié. Couvrez, laissez lever 1 hre. Four 375°

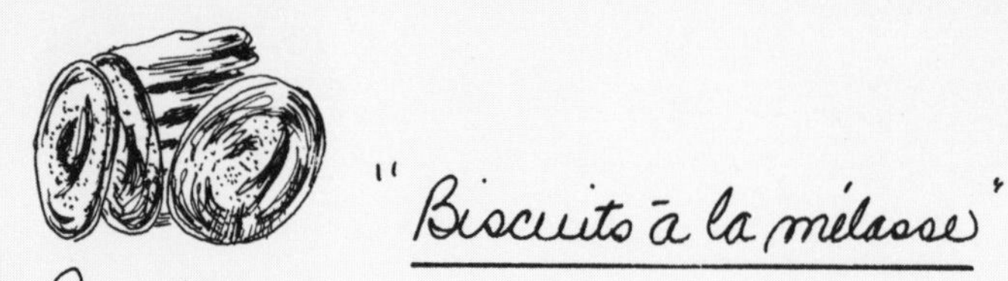

"Biscuits à la mélasse"

Ingrédients :

1/2 tasse de crisco
1 tasse de cassonade
2 oeufs bien battus
2/3 tasse de mélasse
1C. à thé de Cannelle
2 Tasses de raisins à taste

1/2 c. à thé de clou moulu
1/2 c. à thé de sel
2 c. à thé de soda dans
1 c. à thé d'eau bouillante
2 1/2 Tasses de farine

Mode de préparation :-

Bien mêler dans l'ordre donné. Déposer par cuillerées sur une tôle à biscuits. Cuire au four à 350°F pendant 14 minutes. Donne 60 biscuits

Biscuits de la Cabane à sucre

Ingrédients :

1/2 tasse de graisse de bacon ou de jambon
1 tasse de sirop d'érable
1 oeuf
1 1/2 tasse de farine tout usage
1 c. à thé de sel
2 c. à thé de poudre à pâte
1 1/2 tasse de farine d'avoine
1 c. à thé de muscade
1/4 tasse de lait
1/2 tasse de noix

Mode de préparation :-

Crémer le gras, l'oeuf et le sirop d'érable.
Tamiser ensemble la farine, le sel, la poudre à pâte et la muscade. Ajouter le raisin et la farine d'avoine en alternant avec le lait.
Ajouter les noix.
Déposer par cuillerées sur une tôle à biscuits graissée. Cuire au four à 375° F. 15 minutes

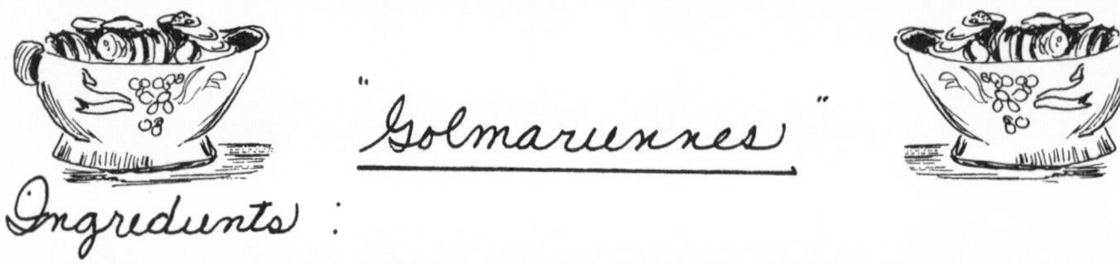

"Golmariennes"

Ingredients :

1/2 livre de beurre frais	10 à 12 tasses de farine
6 oeufs	5 c. à thé de poudre à pâte
1 tasse de lait	1/4 c. à thé de muscade
2 tasses de sucre	

Mode de préparation :

Défaire le beurre en crème et lui ajouter le sucre, les jaunes d'oeufs, le lait, les blancs d'oeufs battus en neige et la farine tamisée avec la muscade et la poudre à pâte. Etendre la pâte de 1/4 pouce d'épaisseur, découper à l'emporte-pièce et faire cuire à grande friture.

"En guise de conclusion"

" Une femme qui ne peut réussir décemment les golmariennes, C'est purement et simplement une bonne-à-rienne!" comme disait grand-mère!

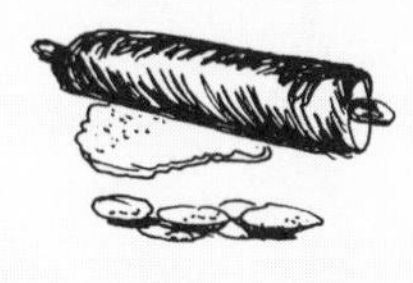

"Biscuits au gingembre"

1 tasse de saindoux
1 Tasse de sucre
1 tasse de mélasse
2 c. à thé de gingembre
2 c. à soupe de Vinaigre
2 c. à thé de soda ébouillanté avec
3/4 tasse de café fort
4 à 5 tasses de farine

Mode de préparation :-

Défaire le saindoux en crème, ajouter le sucre et la mélasse. Bien mêler, ajouter le vinaigre et le mélange de soda et de café fort. Mêler le gingembre à la première tasse de farine et ajouter au mélange liquide. Ajouter ensuite de la farine jusqu'à consistance d'une pâte à biscuits, prête à rouler

Découper à 1/4" d'épaisseur. Cuire à four 375°F, 5 à 6 minutes

Pain au fromage

Ingrédients :

1/2 tasse d'eau tiède

2 cuillères à thé de sucre

2 enveloppes de levure sèche active

1 tasse de lait

1/4 tasse de sucre

1 cuillère à soupe de sel

4 tasses de farine tout usage tamisée

1 1/4 tasse de fromage fort râpé

Mode de préparation :-

Même méthode à suivre que le pain blanc. Au moment où vous ajoutez la farine incorporez le fromage. Cuire au four à 375° F pendant 35 minutes

Pain de blé entier (2 pains)

½ tasse d'eau tiède   2 tasses de farine de blé
1 c à thé de sucre   ½ tasse de lait en poudre
¼ c à thé de gingembre non dilué
2 env. de levure sèche active   1 ½ c. à thé de sel
1 ¾ tasse d'eau chaude   3 c. à soupe de beurre fondu
5 c. à soupe de mélasse ou   4 tasses de farine de
miel liquide   blé entier.

Mode de préparation: -

Mettre dans un bol ½ tasse d'eau tiède, dissoudre le sucre, ajouter le gingembre, saupoudrer la levure, laisser reposer 10 minutes.

Dans un grand bol, mélanger 1 ¾ d'eau chaude la mélasse ou le miel, le sel, le beurre le lait en poudre, bien brasser ajouter le mélange de levure et 2 tasses de farine Bien battre; ajouter le reste de la farine soit 4 tasses. Pétrir 10 minutes hever le double du volume 1 ½ hr. Dégonfler, diviser en deux, mettre dans les moules. hever encore 1 ½ heure.

Cuire au four 350° 45 à 55 minutes

"Le pain d'épices"

Ingrédients :

1 chopine de mélasse

1 c. à thé de soda dissous dans la mélasse, gros comme un oeuf de beurre défait en crème

2 oeufs bien battus ensemble

½ tasse de lait

1 c. à soupe de gingembre

¼ c. à thé de sel

Mode de préparation :-

Ajouter la farine en quantité suffisante pour donner à la pâte la consistance d'un gâteau ordinaire. Beurrer le moule, verser la pâte et faire cuire dans un four modérément chaud

"Biscuits au miel et à la cannelle"

½ tasse de farine
1 c. à thé de cannelle
¼ tasse de noix hachées
¼ tasse de sucre
½ tasse de miel liquide (de trèfle de préférence)
¼ tasse de beurre frais
1 oeuf bien battu

Mode de préparation :-

Crémer ensemble le beurre, le sucre l'oeuf et le miel. Ajouter en remuant la farine tamisée et la cannelle. Ajouter les noix Déposer par cuillerées à un pouce d'intervalle sur la tôle.

Cuire au four à 300° pendant 10 à 12 minutes. Laisser refroidir.

Après la cuisson vous pouvez enrouler ces biscuits autour du manche d'une cuiller de bois graissée et ensuite remplir de crème fouettée.

Galette de Sarrasin

Ingrédients :

1 1/2 tasse de farine de sarrasin
1/8 c. à thé de soda à pâte
1 c. à thé de sel
1 1/2 c. à table de sucre
1/4 tasse d'eau
3/4 tasse de lait
3 c. à table de beurre fondu

Mode de préparation :-

Tamiser dans un bol la farine avec le soda à pâte, le sel et le sucre. Ajouter l'eau, le lait et le beurre fondu. Bien délayer la pâte. Laisser reposer quelques instants avant de s'en servir. Cuire sur une plaque épaisse graissée avec une couenne de lard. Tout l'art de réussir une bonne galette réside dans la cuisson. Le feu doit être ni trop chaud ni trop lent. C'est à l'usage qu'on l'apprend.

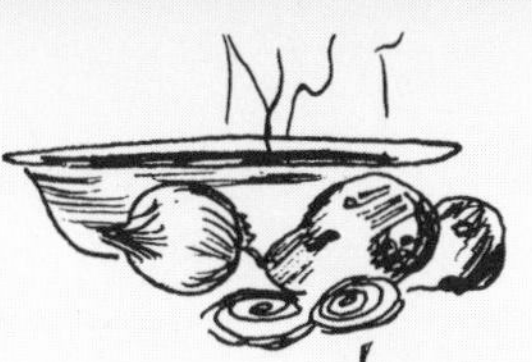

Soupe crème de pommes de terre

Ingrédients :

4 pommes de terre moyennes
1 oignon moyen, hâché finement
1 1/2 tasse d'eau bouillante
3 tasses de lait
sel, poivre

Mode de préparation :

Peler les pommes de terre et les couper en petits morceaux, les faire cuire avec l'oignon dans l'eau bouillante jusqu'à ce qu'elles soient tendres écrasez les en purée dans l'eau où elles ont cuit.

Chauffer le lait juste au-dessous du point d'ébullition, le verser dans les pommes de terre, ajouter le beurre, sel et poivre et chauffer de nouveau.

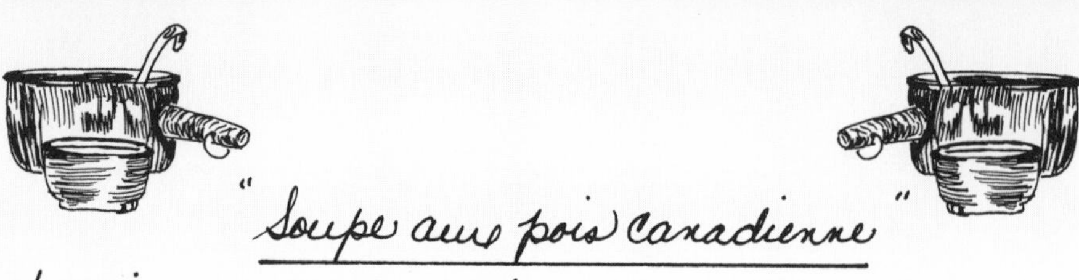

"Soupe aux pois Canadienne"

½ livre de lard salé
1 tasse de pois cassés
2 c. à table de graisse de lard
2 c. à table de farine
1 c. à thé de persil haché
6 tasses d'eau ou bouillon de boeuf
2 c. à table d'oignon haché
1 c. à thé de ciboulette
4 c. à table de blé d'inde lessivé (pas nécessaire)

Mode de préparation :

Faire tremper les pois toute une nuit ensuite les ajouter au bouillon ou à l'eau avec le lard salé et laisser mijoter jusqu'à ce que les pois soient tendres.
Mélanger la fleur avec la graisse de lard dans laquelle vous aurez fait revenir l'oignon et ajouter à la soupe.
Ajouter les autres ingrédients et faire jeter un bouillon

"Soupe au Chou"

Ingrédients :

3 ou 4 lbs. de boeuf

1/2 chou, 1 poireau

2 branches de céleri

4 pintes d'eau froide

poivre, sel

Mode de préparation :

Mettre la Viande avec l'eau froide. Hacher le chou, le blanchir .

Faire cuire durant 2 1/2 heures à 3 heures après avoir ajouté les autres ingrédients .

Soupe aux tomates vertes

Faites cuire 3 à 4 grosses tomates vertes jusqu'à ce qu'elles soient en compote. Ajoutez-y 1 c. à thé de soda à manger, du poivre, du sel et une grosse noix de beurre.
Faites chauffer une pinte de lait jusqu'au point d'ébullition versez-le dans la compote chaude.
Servez tout de suite.

"Soupe Bonne Femme"

Ingrédients :

½ livre de lard salé	1 petit oignon
6 carottes	3 pintes d'eau ou de bouillon
2 tranches de navet	4 c. à table de tapioca fin

Mode de préparation :
Faire revenir le lard dans un chaudron avec les légumes coupés en dés, et ajouter l'eau et le bouillon. Laisser cuire doucement. Un quart d'heure avant de servir, ajouter le tapioca.
Servir très chaud.

Soupe au pain

Ingrédients :

3 pintes d'eau bouillante
1 gros oignon
1 gros poireau ou 3. c. à table de ciboulette
4 c. à table de graisse de rôti
3 tasses de pain séché
3 c. à table de riz
Sel et poivre au goût

Mode de préparation :

Faire revenir l'oignon dans la graisse, ajouter l'eau chaude, le riz bien lavé, le pain sec émietté, le poireau ou la ciboulette coupée finement et assaisonner.
Faire cuire lentement à feu doux durant près d'une heure.
Servir chaud.

"Bouillon"

Ingrédients

3 lbs de boeuf maigre
2 lbs de veau
1 lb de moëlle
6 tasses d'eau froide
10 grains de poivre
1/3 tasse de patates
1/3 tasse de celeri
1/3 tasse d'oignon
1/3 tasse de navet
Hachez ces légumes très fin.

Mode de préparation :-

Mettez la viande, la moëlle et l'eau dans un vaisseau (chaudron) à soupe et laissez reposer 1 hr. Chauffez doucement jusqu'à ce que "c'a bout". Enlevez l'écume et faites cuire pendant 4 hres. Ajoutez les légumes, assaisonnez-les et faites cuire 2 hres. Coulez-la et laissez la devenir froide, puis enlevez le gras.

Servir dans des tasses à bouillon.

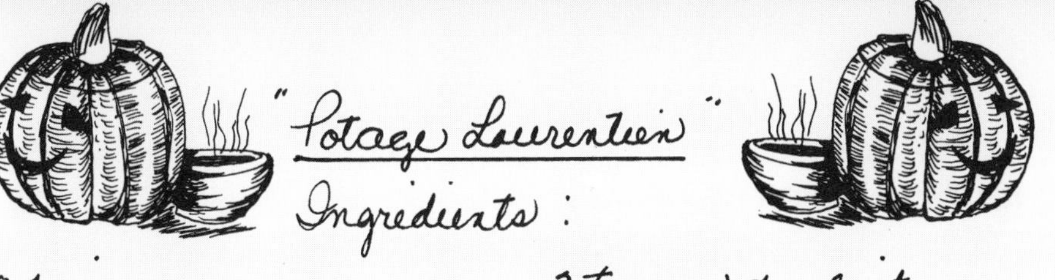

"Potage Laurentien"

Ingredients :

8 poireaux — 3 tasses de lait
3 c. à table de beurre — 6 tasses d'eau
3 à 4 pommes de terre — Sel, poivre

Mode de préparation :

Faire dorer les poireaux dans le beurre, ajouter l'eau et le lait, puis les pommes de terre tranchées et cuire à feu doux environ 1 heure. Passer à-travers la passoire fine, assaisonner et servir.

"Potage à la citrouille"

Ingrédients :

4 tasses de citrouille hachée — 1 tasse de tomates coulées
4 c. à table de beurre — 4 tasses de lait
1 oignon — 1 c. à table de sucre

Mode de préparation :

Faire cuire la citrouille, la réduire en purée et lui ajouter le beurre. D'autre part, chauffer le lait avec l'oignon et le sucre, mêler cette preparation à la première, et joindre ce mélange aux tomates chaudes. Assaisonner Couler et servir. Éclaircir avec du lait et du bouillon si nécessaire

Bisque aux tomates

Ingrédients :-

4 c. à soupe de farine
3 tasses de tomates mûres
6 clous de girofle
1 feuille de laurier émietté
1 bouquet de persil
2 c. à soupe de beurre
1/4 tasse de céleri haché
2 c. à thé de sucre
1 c. à thé de jus d'oignon
6 grains de poivre
3 tasses de consommé
1/2 tasse de crème épaisse

Mode de préparation :-

Assaisonnez les tomates et faites mijoter pendant 1/2 hr. Refaite fondre le beurre, ajoutez la fleur (farine) et mélangez bien le consommé clair graduellement et laissez jeter un bouillon en brassant continuellement. Cuisez lentement 10 à 15 mtes, puis ajoutez les tomates coulées ainsi que la crème.

Servez tout de suite, tres chaude

L'Omelette au p'tit lard

Mettez six tranches de lard dans un poêlon avec assez d'eau pour couvrir et laissez cuire pendant 5 minutes. Enlevez l'eau et laissez rôtir les grillades. Délayez une cuillerée à table de farine avec un quart de tasse de lait et battez-y trois oeufs. Versez ce mélange dans le poêlon avec les grillades et faites cuire dans un four modéré.

Timbales de pois verts

1 Chopine de pois verts 1 tasse de lait ou de Consommé 4 c. a Soupe de farine 10 gouttes de jus d'oignon 3 blancs d'oeufs.

Préparation

Pressez les pois cuits à travers un tamis mêlez-les à la farine et ajoutez le lait ou consommé. Assaisonnez avec le jus d'oignon sel, poivre et poivre de Cayenne. Battez les oeufs fermes et ajoutez au mélange.

Pressez le mélange dans de petits moules à timbales beurrés déposez-les dans un chaudron d'eau chaude et cuisez dans un four doux jusqu'à bonne consistance. Enlevez du moule et servez sur plat chauffé, accompagnés d'une sauce au goût.

Gélatine de poulet

Faire bouillir un poulet ou une poule jusqu'à ce que la viande se pique facilement avec une fourchette. Enlevez ensuite la peau et les os et faites-les bouillir pendant 2 hrs dans le bouillon de la cuisson avec un gros os de boeuf ou de veau et assaisonnez de sel de poivre et de laurier. Coulez ce bouillon et pour vous assurer qu'il prenne bien en gelée, ajoutez-y un sac de gélatine que vous aurez délayée dans un peu d'eau froide Rincez un bol avec de l'eau froide et versez-y un peu de bouillon apres avoir placé au fond du bol des tranches d'oeufs cuits durs de manière à former un dessin décoratif. Laissez prendre un peu, puis ajoutez la viande du poulet, coupée en minces et longues lamelles. Remplissez avec le reste du bouillon et laissez prendre pendant quelques heures dans le réfrigérateur. Démoulez à l'aide d'un couteau d'argent.

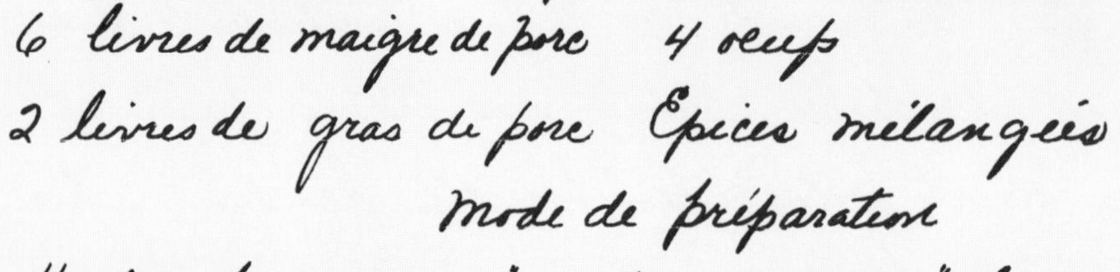

Crépinettes

6 livres de maigre de porc   4 oeufs

2 livres de gras de porc   Épices mélangées

Mode de préparation

Hacher la viande "au petit moulin" l'assaisonner d'épices de sel de poivre et y mettre les oeufs. Lorsque le tout est bien mélangé, l'envelopper par petites quantités (4 c. à table) dans un morceau de crépine, donner une jolie forme et faire bouillir puis rôter dans le saindoux.

Les Cretons

Dans un chaudron de fer, coupez en petits morceaux 2 lbs. de panne dont vous aurez enlevé les peaux. Ajoutez-y une gousse d'ail un oignon haché finement.

Chauffez à petit feu pour que l'oignon cuise sans brunir. Ajoutez:

3 lbs de porc maigre haché

½ lb de rognons hachés

Sel, poivre cannelle et muscade pour assaisonner.

Couvrez le tout avec de l'eau et laissez mijoter 5 à 6 heures.

Versez enfin dans de petits bols passés à l'eau froide et laissez figer dans un endroit frais.

Nos Pailles au fromage

1 tasse de fromage râpé
1 tasse de farine tout usage
1/2 c a thé de sel
2 c. a soupe de beurre
Une pincée de poivre de Cayenne

Préparation

Melangez complètement le fromage le sel le poivre et le beurre, ajoutez assez d'eau froide pour que la pâte puisse se rouler mince. Coupez-la en lisières de 7 pouces de long par 1/2 pouce de large. Mettez dans des moules et faites cuire promptement dans un fourneau bien chaud pendant 10 minutes.

Le foie gras

Cuisez au bain-marie pendant 3 hrs :

1 lb. de lard salé
1 lb de foie de boeuf de porc ou de volaille
1 gros oignon
2 ou 3 branches de céleri
4 ou 5 gousses d'ail
1 feuille de laurier
2 pincées de thym
2 pincées de sarriette
Sel et poivre

Retirez du feu et conservez le gras du lard fondu que vous aurez coulé à la passoire. Passez les ingrédients au hachoir fin et retournez les dans le bain-marie avec la graisse du lard fondu. Vous les laisserez cuire encore une heure après les avoir mélangés au battoir à oeufs. Laissez refroidir, battez de nouveau au moussoir et versez dans des moules.

Casserole de riz

Mélangez 3 tasses de riz cuit 1/4 tasse de farine 1 c. a thé de sel 2/3 tasse de persil haché finement 1/3 tasse d'oignon aussi haché.

Déposez à la cuiller dans une casserole de 1 1/2 pinte y verser de la crème légère environ 2 1/2 tasses. Cuire dans un four à 350° à découvert environ 30 minutes.

Peut accompagner les plats de poisson

Crêpes au lait de beurre

2 tasses de farine à tout usage tamisée
1 c. à thé de bicarbonate de soude
1/2 c. à thé de sel
1 c. à soupe de beurre
2 oeufs bien battus
2 tasses de lait de beurre
2 c. à soupe de graisse fondue

Mode de préparation

Tamiser ensemble la farine, le bicarbonate de soude le sel et le sucre. Mélanger les oeufs et le lait de beurre; verser dans le premier mélange, tout en remuant battre de façon à faire une pâte lisse ajouter la graisse. Faire cuire sur une plaque chaude. Servir avec du beurre et du sirop. Donne environ 18 crêpes.

Macaronis aux huîtres

1 paquet de macaronis
1½ pintes d'huîtres
3 tasses de sauce
quelques noisettes de beurre
Chapelure
Sel et poivre

Mode de préparation

Faire cuire le macaroni, et le déposer dans un plat à gratin. Alterner un rang de macaronis et un rang d'huîtres que vous avez au préalable coulées. Recouvrir d'une sauce blanche dans laquelle vous avez fait entrer le jus des huîtres. Parsemer de noisettes de beurre et de chapelure. Faire dorer au fourneau.

La recette de sauce blanche :-
Faire fondre 4 c. à table de beurre y ajouter 4 c. à table de farine puis 3 tasses de lait que vous avez fait chauffer au préalable. Saler et poivrer.

Mousse de Sole

5 filets de sole crue
1 tasse de crème légère
5 oeufs
4 blancs d'oeufs
2 c. a table de beurre
1 tasse de crème 35%

Préparation

Melanger jusqu'à l'obtention d'une texture lisse, les filets de sole coupés en morceaux, la crème légère, les oeufs et les blancs. Si vous utilisez votre "blender" faire fonctionner l'appareil à vitesse moyenne durant 5 minutes.

Ajouter le beurre, la crème épaisse. le sel et poivre au goût. Mélanger de nouveau. Verser la mousse dans une casserole beurrée. Placer celle-ci dans une lèchefrite contenant de l'eau. Cuire à 350°F durant 30 minutes. Servir accompagnée d'une sauce hollandaise

Délicieux Pain de viande à la sauce aux pommes

1 lb de boeuf haché | 1 oeuf battu
1/2 lb de porc haché | 2 c. à thé de sel
1 tasse de chapelure fine | 1 c. à thé de poudre à pâte
2 tasses de patates râpées | 2 c. à table d'oignon émincé

Bien mêler le tout et y ajouter 15 onces de sauce aux pommes

Cuire au four 350° durant 1 1/2 hr

Mettre sans presser dans un moule 9 x 5 x 3

Pâté aux pommes de terre

2 Croûtes de tarte | 3 c. à table de beurre
6 patates moyennes bouillies | 1/2 c. thé de sarriette
2 oignons tranchés | 2 c. à thé de persil
1 bte de 8 on. de saumon | 1/4 c. à thé de menthe (au goût

Couvrir une assiette à tarte de croûte. Piler les patates en ajoutant les assaisonnements, ne pas ajouter de liquide. Dorer les oignons dans le beurre en couvrir les patates, ajouter le saumon et recouvrir de la 2ième croûte de tarte. Brosser le dessus avec un peu de lait.

Au four 400° 20 à 25 minutes

Poissons des Chenaux

La fraîcheur constitue la qualité première de ce poisson qui ne doit être degelé qu'au moment de la cuisson. Arrangez les poissons quand ils sont encore à demi-gelés. Faites une incision tout le long du ventre avec les ciseaux, en les vidant la tête s'enlève.

Nos grands-mères faisaient de ces petits poissons une inoubliable matelote qui consistait en une marmite remplie de pommes de terre en tranches, de lard salé maigre également tranché, de poissons et d'oignons en rouelles, le tout en couches alternées. Elles assaisonnaient ce plat substantiel de sel de poivre et d'une des herbes qu'elles aimaient conserver, habituellement de la sarriette. Recouvert d'eau bouillante le tout cuisait à couvert et à feu doux à l'arrière de la cuisinière pendant au moins une couple d'heures.

Flétan à la bonne femme

2 tranches de flétan
6 tranches de lard
1 petit oignon
3 c. à table de beurre
2 c. à table de farine
1 citron
Eau
Persil sel + poivre

Préparation

Foncer une lèchefrite avec quelques tranches de lard y ajouter le beurre la farine l'oignon tranché le flétan le sel le poivre et un peu d'eau. Cuire à four modéré environ 30 minutes. Servir sur un plat chaud.

Truite de ruisseau au four

Lavez et asséchez le poisson frottez de sel et de poivre et placez dans la poêle à frire avec la moitié d'un oignon tranché et du persil. Faites fondre 1/4 tasse de beurre versez sur le poisson. Ajoutez assez d'eau pour couvrir le fond de la poêle. Ajoutez le jus de l'autre moitie de l'oignon et faites cuire jusqu'à ce que la chair se désagrège.

Servir avec tranches de citron et du persil

Morue à la Crème

1½ tasse de lait chaud
3 c. à soupe de farine
½ c. à soupe de beurre
½ c. à thé de poivre
1 tasse de morue salée effeuillée

Préparation

Ajoutez le lait à la farine déjà délayée à l'eau froide, ajoutez le poivre et chauffez 15 minutes. Faites tremper la morue deux heures dans l'eau tiède séparez en petits flocons ajoutez à la sauce et chauffez à petit feu cinq minutes. Ajoutez le beurre juste au moment de servir. On peut ajouter un oeuf cuit dur haché. Servez avec des pommes de terre au four.

Pouding au suif

Ingrédients:-

1 tasse de mélasse — 2 c à thé de soda à pâte
1 tasse de suif haché — 1 oeuf
muscade au goût — 1 tasse de lait
1/2 tasse de dattes hachées — 1 tasse de raisins

Manière de procéder:-

Mélanger le soda à la mélasse Brasser, ajouter le suif haché l'oeuf battu et la muscade. Faire la détrempe en alternant farine et lait ajouter les dattes et des noix hachées et les raisins. Saupoudrer de farine en dernier. Graisser un moule avec couvercle Cuire à la vapeur environ 2 hrs

Sauce

Incorporer 1 c. à table de beurre et 1 c. à table de vinaigre dans 1 tasse de sucre brun. Verser 1 chopine d'eau bouillante sur ce mélange. mijoter 10 mtes. Ajouter 4 c. a thé de fécule de maïs, delayée dans quelques cuillerées du mélange chaud, cuire quelques instants. Retirer du feu, ajouter 2 c. à table de rhum.

Tourtière sans porc

Remplissage (2 tourtières)

1 lb. de boeuf haché maigre ½ c. à thé sel marin
1 lb. de veau haché maigre ¼ c. à thé sarriette
1 oignon coupé en dés ¼ c. à thé thym
1 gousse d'ail émincée ¼ c. à thé de clou de girofle

Recette de pâte brisée

1 ½ tasse de farine à pâtisserie
½ tasse de gras végétal froid
½ c à thé de sel marin
3/8 tasse d'eau très froide

Bien mélanger les ingrédients secs et ajouter le gras végétal et le couper de la grosseur d'un pois. Faire entrer l'eau dans votre pâte. Cette recette donne 2 abaisses.

Les fèves au lard du boulanger

4 tasses de fèves sèches	1/3 tasse de mélasse
1 gros oignon pelé	1 c. à table de sel
1 c. à thé de moutarde sèche	1 à 1½ lbs de lard
½ tasse de cassonade	salé entrelardé ou
	tout gras (au goût)

Façon de procéder

Nettoyer et faire tremper les fèves la veille dans un bol rempli d'eau froide. Le matin les amener doucement à ébullition dans l'eau du trempage. Laisser mijoter jusqu'à ce que les peaux de la fève se soulèvent lorsque vous soufflez dessus. Égoutter; placer 1 tasse de fève dans le pot allant au four puis l'oignon roulé dans la moutarde sèche ensuite le reste des fèves et le morceau de lard salé (enterré dans les fèves)

Mélanger la cassonade la mélasse le sel; verser le tout sur les fèves et ajouter assez d'eau chaude pour remplir le pot. Couvrir et cuire à 300° 8 heures

Six pâtes du Lac St-Jean

Une quantité égale de lièvre de chevreuil de perdrix d'orignal ainsi que de lard salé frais, plus un gros oignon coupé en tranches minces et 4 lbs. de pommes de terre

N.B. les perdrix peuvent être remplacées par de la volaille, l'orignal et le chevreuil par du boeuf ou du porc.

Mariner durant 24 hrs dans 1 pinte de vin rouge sec ou d'eau, du gros sel, 6 gros oignons tranchés et des herbes (thym, clou laurier cannelle genièvre)

Manière de procéder

Recouvrir le fond d'un chaudron en fonte d'une pâte épaisse mais pas trop riche.

Alterner les ingrédients, un rang de gibier d'oignons de pommes de terre crues de lard salé; et les assaisonnements.

Couvrir d'un drap de pâte en pratiquant un trou (grandeur d'un verre à eau) Introduire le bouillon riche. Couvrir et cuire 3 hrs à 300°

La Picoune

2½ lbs de pommes de terre en tranches
1 lb de lard salé maigre tranché
1 lb de foie de lard ou de veau
3 oignons moyens en rondelles
3 c. à table de beurre
4 c. a table de farine
½ tasse d'eau froide
Sel - poivre

Trancher le lard salé, les oignons en rondelles. Ajouter de l'eau pour couvrir et laisser bouillir lentement 2 hrs environ, ajoutant de l'eau régulièrement à l'égalité. Mettre les pommes de terre tranchées, cuire jusqu'à ce qu'elles soient tendres.
Épaissir la sauce avec 4 c a table de farine délayées dans ½ tasse d'eau froide.
Faire revenir le foie dans 3 c à table de beurre mélanger à la première préparation sans briser les pommes de terre.

Pot-au-feu

Pour un pot-au-feu sans prétention utilisez soit le plat de côtes découvert soit la gite à la noix (morceau de la cuisse du boeuf) 4 lbs environ selon la famille.

Laver la viande, faire cuire dans eau en ébullition, durant 15 à 20 mtes. L'assaisonner et ajouter après les avoir blanchis 1 chou moyen 3/4 d'un navet 2 ou 3 tiges de céleri 1/2 lb de lard salé 3 ou 4 carottes 1 poireau des fines herbes. La cuisson est de 3 hrs lente et gentiment surveillée.

La soupe à l'orge précède ce plat de résistance.

Laver 1 tasse d'orge dans plusieurs eaux laisser tremper 1 hre. Faire cuire dans 3 pintes de bouillon durant 2 hrs

Épaule de veau farcie

Une épaule de 5 à 6 lbs lard salé et bacon
1 tasse de bouillon du sel

Farce

1 tasse de viande hachée 1 branche de céleri
3/4 tasse de bouillon 1 oeuf
2 tranches d'oignon 2 c. à table de beurre
1/2 tasse de mie de pain Persil

Faire revenir dans le beurre tous les ingrédients composant la farce et lier avec l'oeuf. Remplir l'intérieur de l'épaule avec ce mélange et coudre l'ouverture. Cuire dans une lèchefrite foncée de lard salé et de bacon. Arroser souvent avec du bouillon. Bien qu'elle provienne d'animaux jeunes la viande de veau exige une cuisson longue et lente.

Servir avec la compote de pruneaux suivante:
Faire tremper 12 pruneaux pendant une nuit dans du thé froid Enlever les noyaux et les remplacer par des amandes. Cuire jusqu'à tendreté avec eau pour couvrir puis ajouter 1 c. à thé de cassonade par fruit

Ragoût de boeuf

2 lbs de boeuf en cubes 3 c. à table de farine
1 tasse d'oignon haché du beurre de l'huile
sel, poivre feuille de laurier 4 clous de girofle
3 tasses d'eau bouillante 4 carottes tranchées
3 petites patates en morceaux 1 tasse de pois

Préparation :-

Passez les cubes dans la farine, chauffez le gras et faites revenir jusqu'à dorée. Ajoutez les oignons les assaisonnements et 2 tasses d'eau bouillante Ne jamais offrir un ragoût qui n'aurait pas cuit à petit feu dans un liquide frémissant au moins 2½ hrs. Ajoutez les carottes, les pommes de terre puis 1 tasse d'eau bouillante. Couvrez et continuer la cuisson 3/4 hrs où jusqu'à ce que les légumes soient tendres. Ajoutez les pois.

Épaissir la sauce en ajoutant du beurre manié; placez sauce et légumes dans un plat allant au four. Entourez de pommes de terre en purée. Passez au grilleur quelques minutes.

Boeuf bon bec

Tranche de boeuf dans la ronde
1 tasse d'eau bouillante oignons
1 boîte de tomates Cheddard râpé

Manière de procéder:-

Dans une poêle faire saisir légèrement la tranche de viande puis après avoir ajouté l'eau laisser cuire 15 minutes dans une rôtissoire. Ceci fait, couvrir la viande d'oignons tranchés puis ajouter la substance solide de la boîte de tomates. Cuire 10 autres minutes puis ajouter le fromage qui; en fondant, constituera une croûte odorante. Epaissir le jus de la cuisson avec du beurre fondu. Un demi-verre de Bordeaux complète le plat

Ragoût d'agneau

Coupez en morceaux d'un pouce, une é-
paule d'agneau de 3 ou 4 lbs. Roulez les
morceaux dans la farine et faites-les
revenir dans la graisse de bacon chaude
lorsque la viande a pris couleur, ajoutez
2 carottes 1 oignon 2 tiges de céleri du persil, thym laurier sel et poivre.
Couvrez d'eau et laissez cuire à feu doux
pendant 1½ hr.
Avant la fin de la cuisson versez-y
1 boîte de pois verts égouttés
Servez très chaud. Réchauffez aussi les
assiettes car l'agneau servi tiède est
fort décevant.
La gelée de menthe ou des poires confites
à la cannelle accompagnent ce plat.

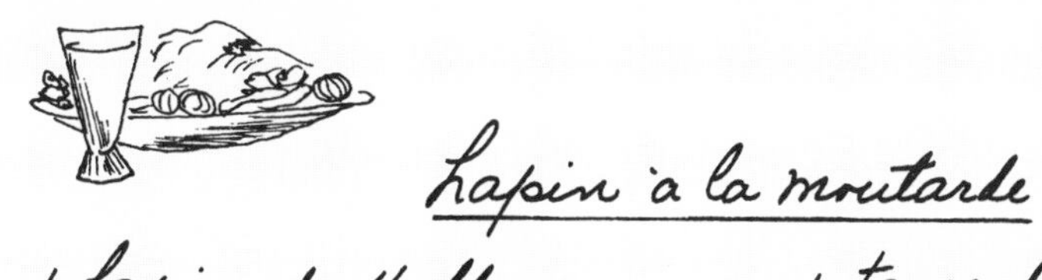

Lapin à la moutarde

1 lapin de 4 lbs
1/4 lb de beurre
1 tasse de vin blanc sec
1 tasse de crème
3 c. à table de moutarde
1/4 c à thé de poivre

Préparation :-

Badigeonner le lapin de moutarde de Dijon
Laisser reposer 24 hrs au frais.
Déposer le lapin dans une lèchefrite après l'avoir badigeonné de beurre.
Dorer sous le gril 15 mtes.
Ajouter le vin blanc sec Couvrir et faire cuire au four à 350° durant 40 à 50 mtes.
La tasse de crème est ajoutée au fond de cuisson. Assaisonner au goût

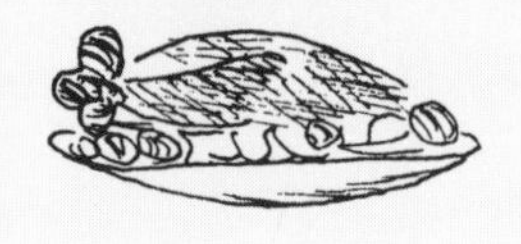

Perdrix au choux

2 perdrix
2 choux
1/2 lb. de saucisse
4 c. à table de beurre
1 oignon
lard salé

Farce

1 tasse de mie de pain trempée dans le bouillon
1/4 tasse de céleri
1 tranche d'oignon

Mode de préparation

Remplir les perdrix avec la farce coudre l'ouverture, les piquer de lardons et les faire rôtir dans le beurre pendant 5 minutes. Faire blanchir deux têtes de choux, les déposer dans une casserole avec le lard salé, l'oignon, les perdrix et les saucisses et ajouter l'eau ou du bouillon. Saler, poivrer Faire cuire au fourneau Servir les perdrix dans les têtes de choux et entourer de saucisses.

Jambon à la bière

Choisissez un jambon bien fumé d'un beau brun clair, et faites-le dessaler dans l'eau froide pendant au moins 24 heures. Placez-le dans une marmite juste assez grande avec 2 pintes d'eau et autant de bière. Ajoutez quelques oignons 1 feuille de laurier, 1 tasse de mélasse 1 c. à t. poivre 1 carotte 1 branche de céleri.

Laissez-le cuire à très petit feu 3/4 hr par livre s'il pèse moins de 8 lbs et 1 hre par livre s'il pèse plus de 15 lbs. Puis laissez-le refroidir dans son liquide.

Lorsqu'il a tiédi retirez-le et enlevez doucement la couenne sans ôter la graisse. Sur toute la surface de la graisse faire des incisions de façon à former des petits carrés. Piquez un clou de girofle dans le centre de chacun de ces carrés. Mélangez 1/2 tasse de cassonade 1/2 tasse de chapelure 1 c. à table de moutarde sèche. Glacez toute la surface grasse avec ce mélange. Faites dorer au four à 400°

Casserole de poulet

1 poulet en morceaux
lard salé
2 oignons
1 boîte de blé d'inde
1 boîte de fèves en gousse
1 pinte d'eau bouillante
1 boîte de tomates
Patates
Farine
Sel et poivre

Préparation:

Couvrir le fond d'un grand chaudron de lard salé, ajouter l'oignon puis les morceaux de poulet passer dans la farine Joindre le blé d'inde, les fèves l'eau bouillante les assaisonnements.

Faire cuire doucement durant 3 hrs Verser alors les tomates et les patates et terminer la cuisson.

Si la sauce est trop claire l'épaissir avec de la farine. Sel et poivre si nécessaire.

Aspic - Soleil de la Côte nord

Détail

Environ 8 on. de saumon ou poisson cuit	1/4 tasse de poivron vert haché
1 sachet de 3. on de gelatine sans saveur	1/3 tasse de concombre haché
1 tasse d'eau bouillante	1 c à table d'oignon émincé
3/4 tasse d'eau froide	
1/2 c. a thé de sel	1 orange et 1 pamplemousse épluchés et segmentés
1 pincée de poivre blanc	
1 c. a table de vinaigre	

Préparation

Égoutter et effeuiller le poisson, enlevant peau et arêtes. Dissoudre la poudre pour gelée avec l'eau bouillante. Ajouter eau froide sel poivre et vinaigre mettre au froid pour faire prendre légèrement

En attendant garnir un moule de 4 ou 5 tasses de contenance avec les fruits en alternant, ajouter poisson et légumes dans la gelée prise et déposer avec précaution à la cuiller dans le moule. Remettre au froid.

Aspic Jardinière

2 sachets de gélatine
1/2 tasse d'eau froide
2 tasses d'eau bouillante
1/2 tasse de sucre
1 c a thé de sel
1/2 tasse de vinaigre

le jus d'un citron
2 tasses de céleri en dés
1 tasse de chou finement haché
1/4 de boîte de piments doux hachés finement

Mode de préparation:-

Faites ramollir la gélatine dans l'eau froide 2 minutes. Ajoutz l'eau bouillante le sucre le sel et faites fondre en tournant. Ajoutz le vinaigre et le jus de citron. Passz au tamis et gardz au froid jusqu'à ce que la gelée soit partiellement prise. Incorporz les légumes, versz dans un moule et laissz prendre complètement. Démoulz sur un lit de laitue et servz avec de la mayonnaise en saucière. Idéal pour accompagner des restes de veau ou de poulet.

N.B. Grand prix d'un concours de recettes organisé en 1897

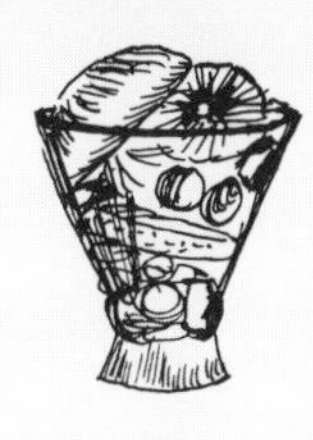

Salade de fruits spéciale

Salade I	Salade II
1½ tasses de pêches fraîches pelées et hachées	2 tasses de nectarines hachées
2 tasses de poires fraîches en dés	2 tasses de poires fraîches en dés
1 tasse de cantaloup en dés	1 tasse de prunes hachées
1 tasse de pommes non pelées en dés	1 tasse de pommes non pelées en dés
½ tasse de bleuets	½ tasse de raisins

Préparation

Mélanger les fruits des salades I et II et ajouter 3 c. à table de sucre. Si la salade est entreposée plus de 30 minutes avant d'être servie arroser les fruits de 1 c. à table de jus de citron ou de solution d'acide ascorbique. Donne 6 portions.

Salade bourgeoise

Détail

2 tasses de pommes dures
1 tasse de céleri
½ tasse de noix
Feuilles de laitue
Mayonnaise
Sel + poivre

Mode de préparation

Hacher finement les pommes le céleri et les noix. Mêler le tout ensemble ajouter les assaisonnements et la mayonnaise. Déposer cette salade sur des feuilles de laitue.

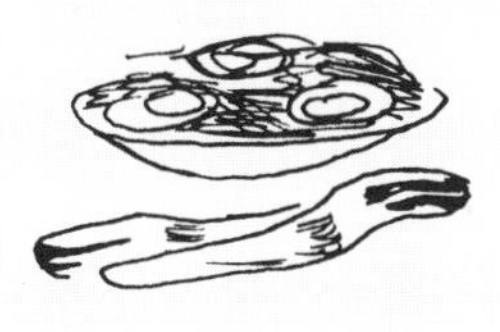

Salade parmentier

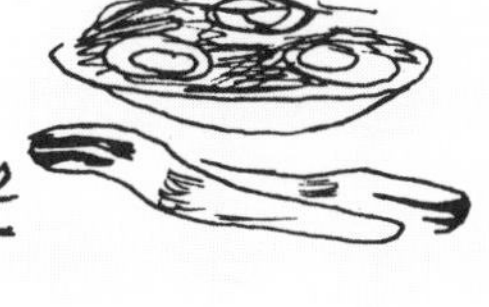

Détail

12 patates assez grosses coupées en dés et bouillies jusqu'à tendreté.

6 oeufs durs tranchés

1½ tasses de cornichons sucrés

1 tasse d'oignons émincés

1½ tasses de radis tranchés

2½ tasses de mayonnaise

sel et poivre.

Combiner les ingrédients. Dans un moule à gâteau des anges bien enduit de mayonnaise, presser fermement la salade. Placer au froid durant 2 hrs. Pour démouler, passer un couteau tout autour.

Mayonnaise cuite sans huile

detail

1/2 tasse de lait	2 c à table de beurre
1/2 tasse de crème	1/2 tasse de vinaigre de vin
1 c. a table de moutarde	1/2 c. a table de sucre
2 c a table de farine	Sel et poivre

Mode de préparation

Chauffer le beurre, ajouter la farine blanche et la farine de moutarde puis le lait chaud, le sucre, le sel et le poivre. Cuire 5 minutes. Joindre la crème, en dernier lieu le vinaigre chaud. Laisser refroidir. Servir avec n'importe quelle salade

Simple Mayonnaise crue à l'huile d'olive

détail

1 jaune d'oeuf cru
1/2 c à thé de moutarde
1 c à thé de sucre en poudre
1 1/2 tasse d'huile d'olive
2 c à table de jus de citron
1 c à table de vinaigre

Mode de préparation

Mettre dans un bol tous les ingrédients secs, amalgamer à ce mélange un jaune d'oeuf. Ajouter l'huile d'olive par petite quantité et en tournant toujours. En dernier lieu, joindre le jus de citron et le vinaigre. Mettre au frais jusqu'au moment de servir.

Sauce aux Concombres

1/2 tasse de crème fouettée 1/2 tasse de mayonnaise 1 tasse de concombre en dés sel et poivre.

Procédé: Incorporer la mayonnaise à la crème fouettée. Ajouter concombre égoutté sel et poivre. Servir avec le poulet.

Sauce tartare

1 tasse de mayonnaise 1 c à thé de persil
1 c à thé d'oignon râpé haché
1 c à table "dill pickle" 1 c à thé de pimiento

Procédé: Mélanger les ingrédients Servir sur poisson

Sauce Béarnaise

Prendre 2 onces de vinaigre ajouter de
l'échalote hachée fine et de l'estragon
Faire réduire sur le feu jusqu'à ce
que le vinaigre soit complètement évaporé
Dans ce mélange, incorporer et battre
3 jaunes d'oeufs sur le coin du feu et
mélanger avec environ ½ lb. de beurre
fondu chaud.
Assaisonner au goût et servir dans une
saucière.

Note :-

La méthode c'est tout le secret pour
manier une bonne sauce. La bonne
Grand-mère riche de tout son temps
n'est plus là pour guider la jeune
ménagère qui forcément devra accumu-
ler pas mal d'échecs avant d'en arriver
à un chef d'oeuvre. Ainsi va la Cuisine.

Sauce Hollandaise

2 jaunes d'oeufs
petite pincée de cayenne
1/2 c à thé sel
1/2 tasse de beurre fondu
1 c à table de jus de citron

Procédé :-

Battre les jaunes d'oeufs épais avec batteur ajouter sel et cayenne Ajouter 3 c. a table beurre fondue peu à la fois brassant constamment. Ensuite, encorporer en brassant le reste du citron en alternant avec le beurre.

Accompagne principalement les légumes

Gâteau à la farine de Sarrasin

Ingrédients:-

1 tasse de farine de blé	1 c. à thé de crème de tartre
1 tasse de farine de Sarrasin	1/2 c. à thé de sel
1 tasse de cassonade	1/2 c. à thé de soda
1 tasse de crème sûre	1 c. à thé de cannelle
	1/2 c. à thé de muscade

Préparation:-

Battre les oeufs ajouter la cassonade et la crème sûre dans laquelle on aura fait dissoudre le soda.

Tamiser la farine, le sel, la cannelle + la muscade. Ajouter à la première préparation Bien mêler. Verser la pâte dans une "tôle" beurrée et faire cuire dans un four modéré jusqu'à ce que la pâte résiste à la pression du doigt.

"Légères Crêpes à la neige des années 1880"

Ingrédients

- 1 1/2 tasse de farine à pâtisserie non tamisée
- 1/2 c. à thé de soda à pâte
- 1/2 c. à thé de sel
- 2 c. à soupe de miel
- 2 c. à soupe de saindoux ou de beurre fondu
- 1 tasse de lait sûr
- 1/2 tasse de neige fraîchement tombée.

Mode de préparation:-

Tamisez la farine, le soda et le sel au-dessus d'une terrine. Ajoutez le miel, le saindoux ou le beurre, le lait, délayez ensemble. Mélangez grossièrement, en tournant mais sans battre puis incorporez délicatement la neige. Faites cuire les crêpes en déposant la pâte à la cuillère sur une plaque ou dans un poêlon légèrement graissé.

Note:- La neige fraîchement tombée renferme des traces de gaz ammoniac qui contribue à donner une certaine légèreté à la pâte. Nos grands-mères n'ignoraient pas ce petit truc et y avaient souvent recours en hiver avant que la poudre à pâte n'apparaisse sur le marché.

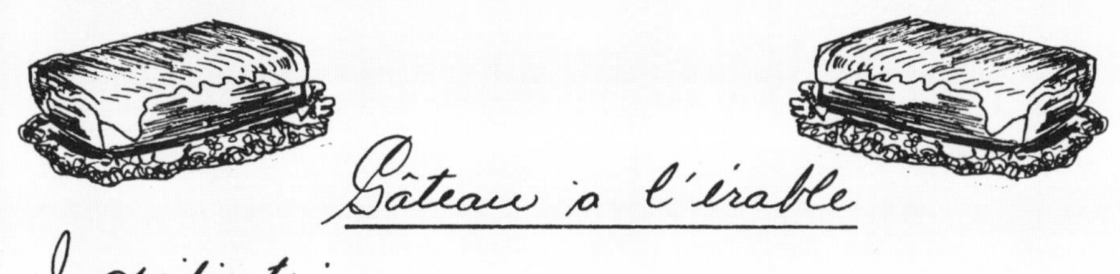

Gâteau à l'érable

Ingrédients :

½ tasse de sucre ½ c. à thé de soda
½ tasse de beurre 2 c. à thé de poudre à pâte
2 oeufs ½ c. à thé de gingembre
2½ tasses de farine à pâtisserie
1 tasse de sirop d'érable ½ tasse d'eau chaude

Préparation :-

Crémer le beurre, ajouter graduellement le sucre, les oeufs, battre parfaitement. Tamiser la farine, mesurer, ajouter le soda, la poudre à pâte, le gingembre. Ajouter les ingrédients secs en alternant avec le sirop et l'eau.
Verser dans un moule tubulaire.

La Tarte de tante Marie

Ingrédients

6 pommes cuites au four	3 blancs d'oeufs
1 croûte de tarte	Une pincée de sel
crème glacée	6 c. à soupe de sucre

Mode de préparation :-

Enlevez le coeur des pommes avec un couteau spécial. Pelez la partie supérieure et remplissez la cavité de cassonade. Faites cuire au four à feu moyen, jusqu'à ce qu'elles soient tendres, dans une lèchefrite contenant un peu d'eau. Laissez tiédir, puis soulevez avec une spatule afin de les déposer dans la croûte de tarte. Nappez du sirop de cuisson. Fouettez les blancs d'oeufs en neige ferme avec le sel et le sucre. Remplissez les cavités des pommes très froides de crème glacée, couvrez de meringue et faites dorer à four très chaud.

"Gâteau au lard"

Ingrédients :

1 livre de lard salé hâché, mettre une pinte d'eau bouillante sur le gras

1 Tasse de mélasse
2 tasses de sucre
1 lb. de raisins à tarte
1 lb. raisins Currants
1 tasse noix
1/2 verre de brandy
1 c. à thé de gingembre
1 c. à thé de clou de girofle
2 c. à thé de cannelle
4 tasses de farine
2 c. à thé de soda
1/2 lb. d'écorce de citron
Cerises
1 c. à thé de muscade

Mode de préparation :

Mélanger le tout comme un gâteau et cuire au four modéré 2 heures de 225°F à 275°F selon la chaleur de votre four.

"Gâteau des Anges"

Ingrédients :

1 tasse de blancs d'oeufs

1 pincée de sel

1 c. à thé de crème de tartre

1 ½ tasse de sucre granulé

1 tasse de farine légère (Swans down ou à pâtisserie)

Mode de préparation :

Séparer les oeufs, laisser les blancs s'acclimater avant de les fouetter. Monter en neige avec le sel d'abord puis avec la crème de tartre et enfin avec le sucre et la vanille. Tamiser directement la farine sur les blancs d'oeufs (vous l'aurez divisée en 4 parties afin d'en incorporer peu à la fois et délicatement). Verser dans un moule non graissé. Faites refroidir le gâteau à l'envers sur une grille après avoir détaché le bord avec la lame d'un couteau

"Gâteau argenté"

Ingrédients :

½ tasse de beurre
1 tasse de sucre
½ tasse de lait
2 tasses de farine
3 blancs d'oeufs
2 c. à thé de poudre à pâte
1 c. à thé d'essence d'amande

Mode de préparation :

Fouetter les blancs d'oeufs, ajouter le reste du sucre battre jusqu'à ce qu'ils soient fermes. Tamiser les ingrédients secs les alterner avec le lait, incorporer les blancs d'oeufs et l'essence en dernier.

Cuire 40 à 45 minutes dans un four modéré 350°F.

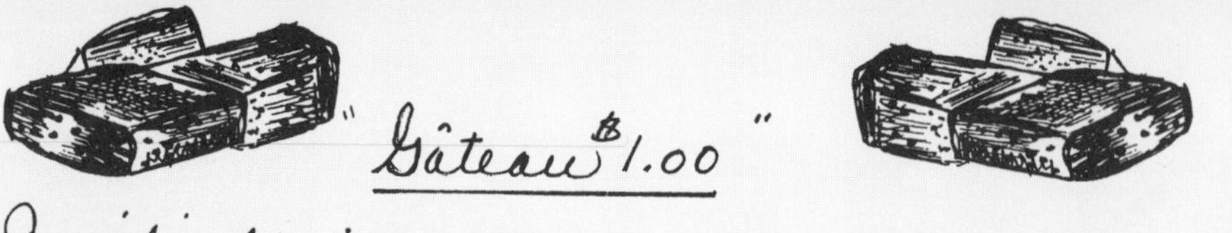

"Gâteau $1.00"

Ingrédients :

1 tasse de sucre	1 tasse mayonnaise
1 tasse d'eau tiède	1 c. à thé de soda à pâte
2 tasses de farine	4 c. à table de chocolat
1/4 c. à thé sel	1 c. à table de vanille

Mode de préparation :

Mélanger le sucre, la mayonnaise, l'eau tiède et les ingrédients secs tamisés que vous ajoutez et la vanille. Verser dans un moule graissé, cuire 40 minutes 350° F.

Petits carrés surprise

3 c. à s. de beurre fondu, 1 tasse de sucre en poudre 2 oeufs bien battus, 1 tasse de noix grenoble, et 1 tasse de dattes hachées, 3/4 tasse d'écorces confites d'orange et de citron hachées, 1/2 c. à thé de sel, 3/4 tasses de farine avec 1 1/2 c. à thé de poudre à pâte. Ajouter le sucre en poudre au beurre fondu les oeufs battus les noix grenoble les dattes, écorces, sel, battez bien. Ajouter la farine mettre dans un moule 8 x 10. Cuire 30 à 40 minutes dans un four modéré.

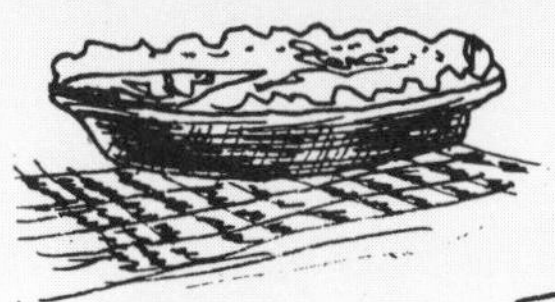

Tarte à la Farlouche

1 tasse de mélasse

3 tasses d'eau

1 tasse de cassonade

Zeste d'orange ou de citron

8 c. à table de fécule de maïs, un peu de muscade

Préparation

Mélanger la mélasse, l'eau, la cassonade, le zeste d'orange ou de citron, la muscade

Amener à l'ébullition jusqu'à gros bouillonnements.

Délayer la fécule de maïs dans l'eau froide y verser un peu de préparation chaude et ajouter le tout au mélange bouillant.

Remettre sur le feu laisser mijoter quelques minutes.

Verser dans une croûte à tarte cuite de 9"

Laisser prendre au froid.

Beignes

Ingrédients:-

2 tasses de farine	1 c. à thé de beurre fondu
2 oeufs	2 c. à thé de crème de tartre
1 petite tasse de sucre	1 c. à thé de soda
1 tasse de lait	1/2 c. à thé de muscade (noix)

Préparation:-

Battez les oeufs et le sucre ensemble faites dissoudre le soda dans le lait, ajoutez le beurre fondu et mélangez ensemble. Sassez la farine et la crème de tartre 2 fois battez bien et râpez la moitié d'une noix de muscade. Coupez votre pâte avec votre coupe-beignes et faites cuire dans le saindoux bien chaud, lequel devra jaunir un petit carré de pain en 70 secondes. Les beignes ne doivent être retournés qu'une fois pendant la cuisson. Laissez égoutter sur un papier non glacé.

Note: il ne faut pas que la pâte soit trop dure.

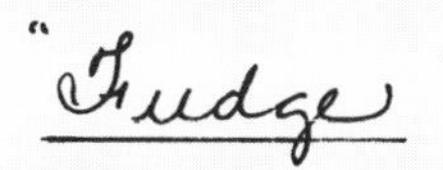

Ingrédients :

1 Tasse de sucre blanc
1 Tasse de cassonade
1/2 tasse de lait doux
1/4 tasse de sirop d'érable
1/4 tasse de beurre fondu

Mode de préparation :

Faire bouillir 2 1/2 minutes, puis ajouter 2 cuillères à thé de cacao. Faire bouillir encore cinq minutes, puis retirer du feu et aromatiser avec 1 cuillère à thé de vanille. Remuer, dès que votre mélange sera devenu en crème, mettre dans une terrine beurrée et laisser prendre. Détailler en carrés ou toute autre forme.

"Petites meringues ou baisers"

Ingrédients :

2 blancs d'oeufs

1/2 tasse de sucre à fruits

1/2 cuillère à thé de vanille

Mode de preparation :

Battre à sec les blancs d'oeufs, ajouter en battant 6 cuillères à soupe de sucre, une à la fois, continuer à battre jusqu'à ce que le mélange garde sa forme, ajouter l'essence, incorporer le reste du sucre. Façonner à la cuillère ou au sac à douille sur une tôle recouverte de papier ciré. Cuire 50 minutes à four très doux environ 250° F.

Pour faire de la fantaisie, vous pouvez séparer le mélange et ajouter quelques gouttes de colorant vert ou rose.

"Marshmallow ou guimauve"

Ingrédients :

2 cuillères (renversantes) à table de gélatine
2 tasses de sucre granulé
Pincée de sel et essence au goût

Mode de préparation :

Faire tremper la gélatine dans huit cuillères à table d'eau froide. Chauffer le sucre dans ½ tasse d'eau jusqu'à ce qu'il soit dissous. Mettre la gélatine dans le sirop et laisser venir au point d'ébullition. Retirer du feu et laisser dégourdir dans un bol. Dès qu'il sera presque froid, ajouter le sel et l'essence. Battre avec un fouet jusqu'à ce que mou, puis avec une grande cuillère jusqu'à ce que ce soit mou pour s'étendre sur une tôle. Saupoudrer un bol en granit avec une bonne couche de sucre en poudre, verser la guimauve environ ½" pouce d'épaisseur et laisser refroidir jusqu'à ce qu'elle ne s'attache plus aux doigts. La retourner le sur un papier saupoudré de sucre, couper en cubes que vous roulés dans le sucre.

"Sucre au coco"

Ingrédients :

Mettre 2 tasses de sucre blanc pour une tasse de lait. Faire bouillir lentement 45 minutes et mettre en dernier lieu une tasse de coco râpé. Retirer du feu et tourner environ 20 minutes jusqu'à ce qu'il soit en sucre.

Mode de préparation :

Pour le faire à deux couleurs (rose-blanc), on ajoutera la même préparation, que ci-dessus en mettant ½ cuillère à thé de sucre granulé rouge avant d'y ajouter le coco. Parfumer à la vanille, en remuant constamment.

"Bonbons aux patates"

Prendre une grosse patate ou plus. Cuire sans sel et bien écraser. Ajouter du sucre en poudre, suffisamment pour faire une pâte pour pouvoir l'étendre. Couvrir soit de beurre de pistaches ou de noix écrasées ou si désiré d'une légère couche de cacao.
Rouler dans un papier ciré, faire bien refroidir avant de trancher.
Pour varier, on peut aussi colorer la pâte en rose ou vert et en faire de petites boules ou y ajouter des essences soit de fraises ou d'amandes.

Sucre à la Crème

5 tasses de sucre
1/2 lb. de beurre
1/2 bte de lait condensé sucré
1/2 tasse de lait

2 tasses de sirop de blé d'inde
27 guimauves
1 c. à thé de vanille
1 tasse de noix

Mode de préparation:-

Faire cuire sur feu doux jusqu'à ce que le mélange fasse une boule dure dans l'eau froide (245° au thermomètre)

Lorsque les cinq premiers ingrédients sont cuits vous ajoutez les guimauves et la vanille et brassez bien pour obtenir la consistance voulue. Ajoutez les noix et déposez dans plat beurré.

"Tire à la Ste-Catherine"

Ingrédients :

½ tasse de sucre

2 tasses de mélasse

1 poids de beurre équivalent à une noix

2 cuillères à thé de vinaigre

Essence au goût

Mode de préparation :

Faites bouillir jusqu'à ce qu'elle casse quand vous en plongez une petite quantité dans l'eau froide. Parfumez avec l'essence qui vous plait. Versez la dans un plat beurré. Dès qu'elle sera refroidie, étirez la lentement avec les mains. Continuer ainsi jusqu'à ce que la tire acquiert le degré de blancheur souhaitée.

"Crème à la glace vanillée"

Battre en neige 2 oeufs de grosseur moyenne et battre 3 tasses de crème et une tasse de lait doux. Sucrer avec une tasse renversante de sucre et aromatiser à la vanille au goût. Faire geler dans une sorbetière (ou freezer) que vous aurez entouré avec un mélange fait de 3 parties de glace écrasée cassée fine et une de gros sel. Vous aurez soin de remuer à vitesse régulière le vaisseau contenant la glace jusqu'à ce que celle-ci soit ferme et lisse. Enlever maintenant le battoir après en avoir dégagé la crème, puis remettre le couvercle. Laisser couler l'eau salée, remplir de nouveau avec de la glace et du sel, puis paqueter bien votre sorbetière que vous envelopperez dans un linge et mettre dans un lieu frais pour vous en servir au besoin.

"Bonbons aux biscuits sodas"

Ingrédients :

1 tasse de sucre blanc
1 tasse de cassonade
1 cuillère à soupe de sirop de blé d'inde
4 grands biscuits sodas ou 8 petits, pas salés et bien écrasés
1 Tasse de crème
1/2 tasse de noix coupées finement

Mode de préparation :

Cuire à partir à feu froid, amener à ébullition en brassant, retirer de sur le feu vif, cuire lentement sans brasser jusqu'à formation de boules molles dans l'eau. Retirer du feu complètement, refroidir à demi, brasser légèrement et déposer dans un moule de 8 x 8 pces. Couper par petits carrés.

"Pralines"

Ingredients:

3 tasses de Cassonade claire

1 tasse d'eau froide

1½ cuillerées à table de vinaigre

Mode de préparation:

Faites bouillir jusqu'à ce que ça tombe en boule dure lorsque vous le jetez dans l'eau froide.

Battez les blancs de 2 oeufs et versez les sur votre "Candy" Remuez le jusqu'à ce qu'il soit devenu assez dur avant d'ajouter les noix et la vanille.

Étalez les pralines sur un papier ciré; séparez-les unes des autres et laissez refroidir.

"Petite bière au gingembre"

Ingrédients :

Dans un contenant, mettre 2 onces de gingembre, ½ once de crème de tartre,

2 citrons tranchés très minces

2 livres de sucre blanc

2 gallons d'eau bouillante

Mode de préparation :

Laisser mijoter le tout environ 20 minutes

Retirer du feu et faites refroidir, brasser et ajouter 1 gâteau de levain dissous auparavant.

Faire fermenter durant 24 heures et embouteiller

"Vin de pissenlit"

Ingrédients :

1 gallon d'eau bouillante, tremper 3 pintes de pissenlits pendant deux jours. Couler

Ajouter 3 livres de sucre

2 oranges tranchées

2 citrons tranchés

½ tasse raisins à tarte

2 enveloppes de levure

Mode de préparation :

Fermenter 2 semaines en brassant tous les jours.

Couler, embouteiller, mais sans boucher juste et boucher au bout de 3 semaines

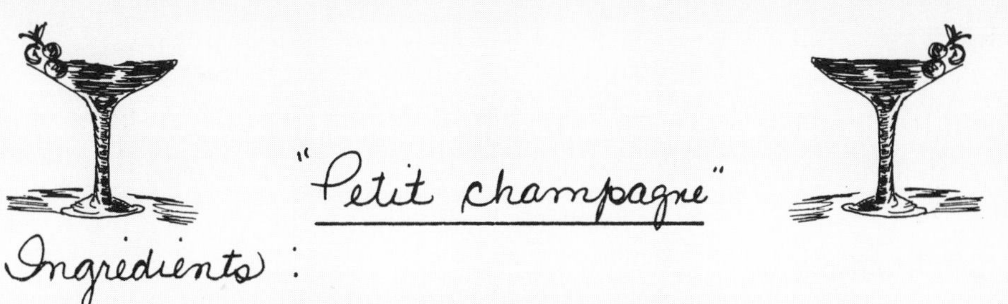

"Petit champagne"

Ingrédients :

1 carré de beurre Fleischman

1 citron de bonne grosseur

1 ½ lbs. de sucre granulé

1 once acide de tartre

2 ½ gallons d'eau

1 ½ once de gingembre

Mode de préparation :

Trancher le citron et peler le gingembre mélanger le tout à l'exception de la levure, faire bouillir l'eau et verser sur le mélange. Laisser reposer jusqu'à ce que le mélange ait la température du sang. Ajouter alors la levure et laisser reposer au soleil toute la journée ; le soir tamiser le mélange et mettre en bouteille ayant soin de bien attacher les bouchons.

On peut servir après deux jours.

"Vin de rhubarbe"

Ingrédients :

4 livres de rhubarbe
4 pintes d'eau bouillante
Couper la rhubarbe en morceaux et laisser fermenter 3 jours.
Couler avec un linge.
1 livre de sucre chaque pinte
2 citrons tranchés minces
1 cuillère d'extrait d'amande
1 yeast cake
1 c. à thé de gélatine

Mode de préparation :

Laisser fermenter 9 jours.
Couler et mettre dans des bouteilles

Vin de betteraves

Ingrédients:

6 livres de betteraves très cuites après la cuisson, s'il n'y a pas un gallon d'eau on y ajoutera de l'eau.

2 poignées de raisins

1 tasse de blé

2 cuillères à thé de crème de tartre

1 grosse patate râpée

Mode de préparation:

Laisser fermenter durant 22 jours.

Garder dans une pièce à température égale

Après 22 jours couler 2 ou 3 fois et placer dans des bouteilles.

"Bière d'épinette"

Ingrédients:

3 gallons d'eau

1 pinte de mélasse

1 cuillère à thé de gingembre moulu

½ cuillère à thé de soda à pâte

2 cuillères à table de bière d'épinette

4 carrés de beurre

Mode de préparation:

Brasser le tout et mettre en bouteille

"Porter"

Ingrédients :

3 livres d'orge

2 1/2 carrés d'yeast cake

1/2 livre de Houblon

1 gallon de mélasse

3 gallons d'eau

Laisser fermenter 48 heures, puis boucher les bouteilles.

"Limonade au jus de raisins"

Ingrédients :

Le jus de 3 citrons

1/3 tasse de sucre

2 tasses de jus de raisins

Assez d'eau glacée pour faire une pinte

Mode de préparation :

Combiner les ingrédients dans l'ordre ci-dessus. Refroidir pendant une demi-heure. On sert dans chaque verre une mince tranche de citron épépiné. Cette recette donne 6 verres à boire ordinaires ou 18 verres à punch.

On peut congeler du thé ou du café. Les cubes servent à glacer les boissons.

"Vin de cerises"

Ingrédients :

3 gallons d'eau
5 pintes de cerises
2 livres de raisins
2 pintes de blé
5 livres de sucre
1 grosse patate crue râpée
1 carré d'Yeast Cake (levure)

Mode de préparation :

3 jours sans y toucher
Brasser toujours à droite. Laisser travailler pendant 20 jours. On le coule et on l'embouteille à peu près pendant une semaine.
Vous pouvez ajouter 2 gallons d'eau, 1 patate, 1 carré d'yeast cake.
Du sucre au goût.

"Citronnade"

Ingrédients :

2 on d'acide citrique
1 on. d'acide tartrique } à la pharmacie
½ on. sel epsom

6 livres de sucre — zeste râpé de 5 citrons
Jus de 9 citrons — 7 tasses d'eau bouillante

Mode de préparation :

Ajouter les zestes de citron à l'eau. Bouillir 10 minutes, couler, ajouter les acides, le sel Epsom et le jus de citron. Laisser dissoudre. Couler encore une fois et verser dans des bouteilles stérilisées.

Servir à raison de 2 cuillères à soupe par verre d'eau. Cette boisson est très rafraîchissante.

Liqueur de raisins à grappes

Sur un gallon de raisins écrasés, jeter 1 gallon d'eau. Laisser reposer durant 8 jours, puis écumer-le avec soin. Pour chaque gallon de sirop, donner 3 livres de sucre blanc, que vous ajouterez en remuant constamment. Reposer durant 10 à 12 heures avant d'embouteiller.

Fouetté à l'érable

Ingrédients:-

Une banane tres mûre
1 oeuf
2 c. a table de sirop d'érable
2 tasses de lait
Crème fouettée
muscade

Préparation:-

Ecrasez la banane pour obtenir une pulpe tres homogène. Ajoutez l'oeuf bien battu et le sirop d'érable ainsi que le lait. Versez dans un grand verre, Couvrez de crème fouettée et saupoudrez ou non de muscade.

Confiture de prunes

8 livres de prunes

1 livre de raisins secs

6 livres de sucre

1/2 livre de noix brisées

Manière de procéder:-

Laver et équeuter les prunes, les presser entre les doigts pour en extraire la pulpe. Faire chauffer cette pulpe dans une casserole et laisser bouillir doucement jusqu'à ce que le noyau se détache.

Hacher la peau et le raisin sec ajouter avec le sucre à la pulpe des prunes.

Bouiller jusqu'à ce que ce soit épais.

Y mettre les noix brisées juste avant de retirer du feu.

Verser dans des pots stérilisés et cacheter.

Il est à conseiller de faire les confitures en petites quantités; elles ont un plus bel aspect.

Cerises piquantes

1 pinte de cerise de France 12 clous de girofle
1 tasse de vinaigre noix de muscade
2 c. à soupe de sucre pincée de sel

Manière de procéder :-

Bouillir durant 5 mtes. le vinaigre, le sucre, les clous, les épices. Laisser refroidir. Laver les cerises en prenant garde de ne pas casser les queues ; les placer dans des petits pots.

Séparer le vinaigre entre les pots et ajouter un peu d'eau pour que le liquide recouvre entièrement les fruits.

Servir ces cerises comme décoration pour les plats de hors-d'oeuvre ou les assiettes de sandwichs.

Marinade à la rhubarbe
(relish)

1 pinte de rhubarbe
1 pinte d'oignons
2 tasses de vinaigre (malt si possible)
4 tasses de cassonade
1 c. à thé de sel
1 c. à thé de cannelle moulue
1/2 c. à thé d'épices moulues
1/2 c. à thé de clou moulu
1/4 c. à thé de poivre

Manière de procéder :-
Laver et couper la rhubarbe en morceaux d'un pouce. Peler les oignons et les hacher finement. Mélanger tous les ingrédients et laisser bouillir doucement jusqu'à épaississement léger. Verser dans des pots stérilisés et cacheter.

Tomates vertes marinées

Détail

12 tomates vertes	1 1/2 tasse de vinaigre
1 pied de celeri	1/2 tasse de sucre
1 Chou moyen	Épices au goût
6 pommes	Sel et poivre

Manière de procéder:-

Couper les ingrédients en petits morceaux et cuire avec un peu d'eau bouillante pendant 2 hrs, ensuite ajouter le vinaigre, le sucre, les épices et les assaisonnements et laisser cuire encore 2 hrs. Verser dans des bocaux stérilisés fermant hermétiquement

Tomates rouges marinées

4 pintes de tomates rouges
4 c à table de sucre
4 oignons moyens
Epices
2 tasses de vinaigre
sel - poivre

Manière de procéder:-

Laver les tomates, les couper en quartiers les faire cuire avec les oignons dans très peu d'eau. Après que les ingrédients seront devenus tendres, leur ajouter le vinaigre, le sucre, les épices placées dans un petit sac. le sel et le poivre.

Laisser cuire à nouveau jusqu'à ce que tout le liquide soit évaporé. Retirer le sac d'épices. Déposer dans des bocaux de verre stérilisés.

Cornichons au vinaigre

Détail

Cornichons - Vinaigre

Manière de procéder: -

Prendre les cornichons fraîchement cuillis, les essuyer fortement pour en enlever les aspérités. Les mettre dans un plat avec quelques poignées de sel et les laisser reposer quelques heures. Décanter l'eau qui en est sortie, placer les cornichons dans un plat, les couvrir avec du vinaigre, les laisser reposer quelques jours. Verser les cornichons et le vinaigre dans un chaudron, faire chauffer sans laisser bouillir, les égoutter de nouveau, alors déposer les cornichons dans des bocaux les recouvrir de bon vinaigre préalablement bouilli. Si vous voulez obtenir des cornichons sucrés ajouter 1/2 tasse de sucre par pinte de vinaigre.

Fameux Chutney aux pommes

10 tasses de pommes hachées
2 gros oignons
2 c. à table de sel
2 1/4 tasses de cassonade
2 tasses de vinaigre
2 tasses de raisins
(sultana ou épépinés)

1 c. à table de gingembre
1/4 c. à thé de cayenne
1 c. à table de graines de moutarde

Manière de procéder:-

Peler, enlever le coeur et hacher les pommes. Dissoudre le sel et la cassonade dans le vinaigre et y mélanger tous les ingrédients. Cuire doucement jusqu'à ce que soit tendre (35 à 45 minutes). Verser dans des pots stérilisés et cacheter.

Confitures de melons et de citrouilles

Préparer les melons ou les citrouilles; couper la partie ferme en petits cubes étendre sur un linge propre au moins une journée pour faire sécher.
Le lendemain peser les fruits. Faire un sirop épais avec égale quantité de sucre, y cuire les melons ou citrouilles jusqu'à transparence du fruit.
Laisser refroidir et mettre dans des bocaux.

Marmelade d'oranges

12 oranges

3 citrons

9 tasses d'eau

sucre

Manière de procéder

Laver parfaitement les fruits et enlever toutes taches brunes sur la pelure. Trancher les fruits entiers très minces et enlever les pépins. Couvrir les fruits avec l'eau et laisser reposer toute la nuit.

Le lendemain, cuire doucement jusqu'à ce que tendre (2-2½ hrs)

Mesurer les fruits cuits et allouer à chaque tasse 2/3 de tasse de sucre.

Cuire le mélange rapidement à consistance de gelée (30-60 mtes) Verser dans des pots stérilisés et cacheter.

Gelée de menthe

4 tasses de jus de pommettes ou jus de pommes (non sucré)
1 tasse de feuilles de menthe hachées
3 à 4 tasses de sucre
Quelques gouttes de colorant vert
Manière de procéder:-
Faire bouillir les feuilles de menthe avec le jus 8 à 12 minutes. Écumer et ajouter la quantité de sucre chauffé requise (il faut goûter si il y a suffisamment de sucre) Aussi colorer délicatement en vert en ajoutant le sucre.
Quand la gelée à la consistance voulue, couler dans des verres chauds sterelisés et cacheter.